KB075980

60에 멈추어 인생을 기록하다

60에 멈추어 인생을 기록하다

발 행 | 2024년 4월 10일
저 자 | 명지
펴낸이 | 한건희
펴낸곳 | 주식회사 부크크
출판사등록 | 2014.07.15.(제2014-16호)
주 소 | 서울특별시 금천구 가산디지털1로 119 SK트윈타워 A동 305호
전 화 | 1670-8316
이메일 | info@bookk.co.kr

ISBN | 979-11-410-7963-5

www.bookk.co.kr

60에 멈추어
인생을
기록하다

명지 지음

CONTENT

프롤로그 - 지난 삶을 되돌아보고 정리하다

프롤로그 - 지난 삶을 되돌아보고 정리하다

60이 되고 보니 내 인생을 정리해보고 싶었다. 새로운 마음으로 남은 삶을 꾸려가고 싶었다. 그래서 이 글을 쓴다.

책을 많이 읽는 것도 중요하지만 나를 돌아볼 때는 이렇게 글을 쓰는 것이 가장 좋은 방법인 것 같다. 부족하고 내세울 것 없는 지극히 평범한 인생이지만 지난 날을 돌아보고 다시 앞날을 계획해 보는 것이 내 인생에 의미가 있다고 생각한다.

훌륭한 글쓰기 실력을 갖춘 것도 아니고 남들이 보기에 대단한 인생을 산 것도 아니지만 나의 삶은 내게 가장 소중하다. 앞으로 남은 인생도 소중하기에 글을 쓰는 것이다.

인생의 전환점에서 한 번씩 이렇게 삶을 돌아보고 정리하며 새롭게 시작하는 것이 필요하지 않을까 생각한다. 나의 인생 일기는 다른 사람이 아닌 나를 위한 작업이다. 숨 가쁘게 살아왔던 시간 속에서 잘한 점과 부족한 점을 돌아보며 다시 한번 각성하고 내일을 희망으로 다시 시작해보고 싶다.

제1장 롤러코스터 인생 한국에 돌아오다

1-1. 롤러코스터 인생 한국에 돌아오다

꿈이 큰 남편은 한국에서 다니던 회사에 사표를 내고 미국에 가서 살겠다고 선언했다. 1999년 가을, 갑작스러운 통보였다. 초등학생 딸과 만 2살인 아들과 함께 미국 LA로 이주하였다. 아는 사람 하나 없는 미국에서 우리의 이민 생활은 시작되었다. 세부적인 계획 없이 무작정 떠나자는 남편을 따라서 미국에 정착하였다. 남편은 돌침대 사업을 시작으로 보안업체 등 이것저것 하였다. 나는 경리업무를 비롯해 남편의 일을 도우며 하나하나 적응해 나갔다.

영어가 부족하여 아이들의 학교 선생님들과 소통하기 어려웠고 일상생활에서 내가 할 수 있는 일에도 한계가 있었다. 커뮤니티 학교에서 영어를 배웠지만 나의 영어 실력은 크게 좋아지지 않았다. 아이들이 미국 학교를 다니면서 자기들끼리 영어로 대화하는 일이 잦아졌고 아이들과 깊은 대화를 하기 어려울 때도 있었다. 특히 아들은 너무 어려서 미국에 왔기에 한국말도 서툴렀고 아들과의 대화는 점점 힘들어졌다. 때로는 딸이 중간에서 통역을 해주어야 서로 소통할 수 있었다.

미국 생활방식을 익히며 숨 가쁘게 살았다. 자녀 교육을 위하여 이사를 다니기도 하고 작은 집도 마련하였다. 아침 일찍 일어나 시리얼을 먹고 학교 도시락을 준비했고 아이들을 등교시키고 출근했다. 오후에는 회사 일을 마치고 아이들을 다시 학교에서 픽업하고 학원도 데려다주었다. 무엇을 사도 같이 가야 했고 운동할 때도 공원에 데려다주어야 했다. 미국은 한국처럼 대중교통이 없기에 부모가 모두 차로 데려다주어야 했다. 저녁에는 집에 와서 밥을 먹고 아이들은 숙제를 하고 나는 밀린 집안일을 하며 하루가 정신없이 돌아갔다.

일요일에는 교회를 다니며 한국인들과 친밀한 교류도 하였다. '중국은 가족 중심'이라 하고 '한국은 교회 중심'이라는 말이 있을 정도로 교회는 한국인의 커뮤니티 역할을 했다. 교회에서 부채춤도 추고 성가대 노래도 부르며 서로의 집을 방문하여 음식을 먹으며 즐겁게 지내곤 하였다.

'한국은 재미있는 지옥, 미국은 재미없는 천국'이라는 말이 있다. 미국은 광활한 땅, 길게 뻗은 고속도로, 풍부한 먹거리 등 한국과 달리 모든 것이 풍족했다. 미국에서는 자기 일을 할 뿐 남의 일에

참견하지 않으며 각자의 생활에만 충실했다. 여러 민족이 사는 환경이기에 다른 사람에게 참견하지 않는 문화가 된 것 같다.

우리가 살던 LA는 날씨가 일년내내 온화하여 춥지도 덥지도 않아서 살기에 너무 좋다. 조금만 가면 바다가 많아서 모래 해변을 걷기도 하고 아이들은 수영을 하였다. 동네 공원에 가서 피크닉도 하였다. 이렇게 평화롭던 미국 생활은 남편의 사업이 힘들어지면서 막을 내리게 되었다.

나는 그때 온몸이 정말 아팠다. 원인도 없이 몸이 아팠다. 내 병은 '돈을 많이 벌게 되면 낫는 병'이라고 누군가 말했다. 우리는 고등학생인 딸만 미국 하숙집에 남겨두고 한국에 돌아왔다. 2006년 여름이었다. 미국에 홀로 딸을 남겨두고 올 때 가슴이 미어졌다. 거의 빈털터리로 한국으로 돌아올 수밖에 없었다. 젊은 시절은 아름다웠고 치열했고 아팠다. 패잔병의 모습으로 다시 한국 생활은 시작되었다.

미국에서 패잔병의 모습으로 돌아온 후 나는 바닥부터 시작해야 했다. 한국 학교에 들어간 아들은 한국말과 역사, 사회를 모르기에 성적이 늘 하위권이었다. 더 힘들었던 것은 선생님의 아들에 대한 이해 부족이었다. 같은 반 아이들의 이름을 못 외운다고 담임선생이 아들에게 매를 든 것이다. 아들에게는 한국 이름이 너무 생소해서 못 외운 것인데 담임선생은 그것을 급우들에 대한 관심 부족이라 생각했다. 그러한 이유로 인하여 아들은 학교에 더 이상 적응할수가 없어서 외국인 학교에 가게 되었다. 카드 대출까지 받아서 보증금 이천만 원을 마련하고 월세 아파트에 들어갔다. 공부방을 하며 아이들을 가르쳤고 극단적으로 절약하며 살았다. 딸이 대학을 가기 위해 SAT 학원을 가야 할 때도 학원비가 없어서 돈을 빌려야 했다.

길거리 떡볶이가 먹고 싶어도 잘 사 먹지 않았다. 아주 작은 돈도 아끼며 살았다. 남편이 다시 중동으로 일하러 가게 되었고 남편 월급의 80 프로를 저축하며 돈을 모았다. 우리는 아파트를 샀고 다시 한국 생활에 적응해 갔다. 돈이 아주 적을 때였지만 그래도 젊었기에 마음을 다잡고 희망을 가지며 일어날 수 있었다.

1-2. 가장 화려했던 순간의 두바이

가장 좋은 호텔의 레스토랑에 갔다. 밖으로 바다가 있고 멋있는 배 모양의 호텔이 보이는 레스토랑이었다. 큰맘 먹고 가야 하는 비싼 호텔 식당이다. 나와 남편과 딸 셋이서 남편 생일을 기념하며 식사를 했다.

"엄마, 너무 행복해. 이 행복이 깨질까 봐 겁이 나." 딸은 웃으며 말했다.

"괜한 걱정하지 마. 우리 행복은 깨지지 않아." 나는 딸을 안심시켰다.

나는 비싼 옷을 입고 명품 가방을 들고 있었다.

두바이에서 벌인 사업도 여러 어려움이 있었지만, 이 시기에는 사업이 잘 되었다. 좋은 차가 있었고 명품도 사고 맛있는 식당도 갔다. 남부럽지 않은 생활을 하였다. 집에는 넓은 정원이 있었다. 마당에 석류나무가 있고 잔디도 예쁘게 깔려 있었다.

집안일을 하는 가정부가 있어서 청소와 요리를 하였다. 그녀는 김치를 비롯한 한국음식을 잘 했다. 내가 음식을 가르쳐 주면 그것들을 잘 따라해서 나는 요리와 청소나 빨래 등을 하지 않아도 되었다.

남자 직원들과 운전기사들이 있어서 우리 아들을 학교에 데려다주곤 하였다. 아침에 아들을 학교에 보내고 나는 지인들과 골프를

치고 레스토랑에서 점심을 먹은 후 학교가 끝날 무렵 아들을 픽업해 오곤 했다. 두바이에서 시작한 골프는 한동안 즐겁고 신나는 나의 취미가 되었다.

정말 남들이 부러워할 만큼 풍요롭게 지냈다. 그때 우리 딸은 너무 돈을 잘 벌어서 겁이 난다고 말하기도 했다. 그렇게 아주 좋을 때가 있었다. 아마 내 인생에서 가장 부유했던 때가 아닌가 싶다.

1-3. 전생에 나라를 팔아먹었나 보다

아들, 딸과 함께 5월에 한국 여행을 왔다. 분당에 오피스텔을 얻고 우리 셋은 두 달 정도의 시간을 지낼 계획이었다. 아들은 미국에 원하는 대학교에 입학했다. 모든 것이 순조롭게 흘러가고 있었다. 그러던 어느 날 두바이에서 급한 연락이 왔다. 회사에 큰일이 생겼다고 했다.

가슴이 철렁 내려앉았다. 딸을 먼저 두바이로 보내고 나는 급한 일을 마무리 지은 후 바로 두바이로 갔다. 이미 회사의 모든 것은 엉망이 되었다. 나와 딸은 회사 일을 수습하느라 혼이 나갈 정도였다. 얼마나 긴박하고 겁이 나는 일들인지 지금 생각해도 아찔하다. 잠시 숨 돌릴 틈도 없이 동분서주했다. 그렇게 힘든 적이 있었나 싶을 정도였다. 휘몰아치는 일들 앞에서 정신을 잃지 않으려 애썼다. 아, 정말 이때는 누구를 탓할 수조차 없었다. '내가 전생에 나라를 팔아먹었구나' 생각했다. 그렇지 않으면 이렇게 힘든 일이 나에게 닥치는 것을 이해할 수가 없었다.

몇 달을 가슴 졸이며 부도를 처리한 후 나는 9월 말 경 혼자 한국으로 돌아왔다. 돌아오자마자 병원에 입원했다. 너무 지친 나머지 몸과 마음을 그냥 쉬고 싶었다. 가장 좋았던 순간에 나락으로 떨어진 것이다. 내 인생의 최대 난관이었다. 50대에 경제적으로 가장 부유했고 또 가장 힘든 일도 겪었다. 생각해 보면 각 시기마다 힘든 일, 좋은 일이 있었지만 두바이 사업 부도는 생사의 기로에 선, 내

힘에 부치는 일이었다.

인생은 새옹지마라고 하지 않는가?

산이 높으면 골도 깊다.

1-4. 아들의 유학을 중도포기시키다

아이들이 어려서부터 우리 가족은 해외에 나가 살면서 이사도 많이 다녔다. 큰딸이 초등학교 2학년일 때 미국에 갔기에 딸은 한국말을 곧잘 했다. 그러나 아들은 4살 한글을 막 배워야 할 때 미국에 가서 한국말을 잘하지 못했다. 미국에 도착해 유치원을 가야 하니 영어부터 배워야 했다. 아들이 5학년에 귀국하면서 한국 학교에 갔지만 한국말과 한국 역사를 거의 알지 못하다 보니 학교생활에 적응하기 어려웠다. 그래서 외국인 학교를 다녔고 또 다시 해외로 가게 되어 학교를 옮겨야 했다. 나는 학교를 옮기는 것이 자녀들에게 얼마나 힘든 것인지 알지 못했다. 아들은 이사를 열 몇 번 다녀서 자기가 얼마나 힘들었는지 모른다고 지금도 이야기한다. 부모의 형편에 따라서 학교를 자주 옮겨야 했으니 친구를 사귀는 것도, 새로운 학교에 적응하는 것도 얼마나 힘들었을까. 이사를 많이 다닌 것이 아이들에게 두고두고 미안하다.

어느 날, 아들은 한국에 있는 국제 대학교에 가지 않겠다고 했다. 학교도 싫고 친구들도 싫고 모든 것이 싫다는 것이다. 아들은 원래 두바이에서 고등학교를 졸업하고 미국에 있는 주립대에 들어갔다. 미국에서 대학교를 일 년 다니고 남편의 사업이 부도가 났다. 아들은 항상 전학을 많이 다녔기에 학교생활을 힘들어했는데 대학에 가서는 친구도 잘 사귀고 대학 생활을 정말 즐겁게 하고 있었다. 하지만 학비가 비싸서 더 이상 감당하기 어려웠다. 사업이 잘 될 때는 어떻게 보낼 수 있었지만 부도가 나니 몇 억씩 되는 학비를 감당할 수가 없었다. 아들에게 미국 주립대를 다니지 말고 한국 국제대학교를 다닐 것을 권했다. 아들은 좋아하는 친구들과 학교를 떠나 한국에 있는 대학교로 왔다. 하지만 학교를 다닌 지 얼마 지나지 않아서 학교가 너무 싫다는 것이었다. 가슴이 아팠다. 나도 울고 아들도 울었다. 어찌해야 좋을지 눈앞이 캄캄했다. 그때 무리해서라도 미국에서 학교를 계속 보냈어야 하나 하는 생각도 들었다.

우리는 항상 최선의 선택을 하려고 한다. 하지만 지나고 나면 다른 선택이 더 좋은 선택이었을지 모른다는 후회가 들기도 한다. 자녀를 양육할 때도 잘 알지 못했고 완벽하지도 못했다. 때로는 어떻게 해야할지 모를 때도 많다. 올바른 선택을 하려고 매순간 우리는 고심한다. 지나고 나니 내가 많이 부족했다는 것을 깨닫는다. 자녀 양육에 있어서 부모는 천번을 흔들린다고 한다. 내게도 자녀 양육은 가장 중요한 것이지만 매우 어려웠다. 내가 더 좋은 부모가 되어 잘 지도했더라면 좋았을 텐데 하는 아쉬움이 든다. 더 많은 사랑과 믿음을 아이들에게 줄 걸 하는 후회가 든다. 이제는 성인이 되었지만 조금이라도 도움이 되는 부모가 되고 싶다. 사랑과 신뢰를 많이 주며 현명하게 삶을 살아갈 수 있도록 해주고 싶다. 자녀 양육의 목적은 자녀의 자립이라고 한다. 그들이 자립하여 자기 인생을 잘 꾸려갈 수 있도록 이끌어주는 것이다. 지금도 좋은 부모가 되는 것이 나의 하나의 목표이다. 딸아, 아들아 언제나 사랑한다.

1-5. 빨간 딱지에 남편을 강제 은퇴시키다

어느 날 밖에 나갔다가 집에 돌아오니 빨간 딱지들이 붙어있었다. 이것이 말로만 듣던, TV드라마에서 보던 '빨간 딱지구나!' '압류'라는 종이가 여기저기 붙어있었다. 내가 생각했던 것보다 작은 크기의 종이였다. 내 인생에 이런 일이 생길 줄 예상하지 못했다. TV, 냉장고, 세탁기, 에어컨, 컴퓨터, 노트북, 전자레인지 등 모든 전자제품에 붙여놓았다. '아이구, 내가 저 노트북을 이불 속에라도 숨겨놓을 걸', 'TV라도 어디다가 옮겨 놓을 걸' 하는 생각이 들었다. 그 와중에 보니 전자제품 외 가구에는 딱지가 붙어있지 않았다. 가구나 옷, 이불 등은 압류하지 않고 가전제품만 압류한다고 했다. 그나마 다행이었다.

언제부터인지 자꾸 돈 갚으라는 독촉장이 날아왔고 압류하겠다는 경고장도 있었다. 이런 일이 생길 것이라고 예상은 했지만 언제 오는지, 어떠한 방식으로 하는지도 몰랐다. 집행관들은 갑자기 들이닥쳤다. 그리고 집안 물품에 빨간 딱지를 붙이고 갔다. 빨간 딱지는 떼어서도 안 되고 딱지가 붙은 물건을 버려서도 안 된다고 했다. 이제 이 압류된 물건들을 내가 사든가 아니면 경매로 넘기든가 해야 했다.

참으로 보통 사람들은 겪지 않는 일을, 사업하는 남편을 만나 다 겪는구나. 이젠 놀랍지도 않았다. 이미 다른 더 큰 일도 겪어봐서 말이다. 그래도 이런 압류를 처음 겪다 보니 당황스러웠다. 내가 남편을 잘못 만나서 이런 거지 같은 일도 당하고 별 고생을 다 하는구나. 원망이 들었다. 남편과 수도 없이 싸웠다. 남편은 고집이 세어 내 말을 듣지 않고 자기 멋대로 하는 사람이었다. 사업한다고 해서 망해 놓고, 돈 달라고 나를 괴롭히고, 나중에는 보이스피싱까지 당하고, 은행빚과 카드빚을 갚지도 못하고, 이를 어떻게 한다는 말인가? 남편은 사업이 망한 후 무리하게 빚을 내서 과거 화려했던 모습을 되찾으려고 했다. 좀 더 냉철하게 현실을 보며 계획해야 하는데, 과거 영광을 되찾고자 무리한 방법에 매달렸던 것 같다.

나는 남편에게 제안했다.

"이제 집에서 노세요. 더 이상 돈 벌어 오지 않아도 됩니다. 돈 벌지 마세요. 내가 밥은 줄게요."

남편은 말이 없다. 수긍하는 것이다. 그는 말없이 그렇게 백수가 되었다. 자기가 여태 벌인 일이 있으니 남편도 할 말이 없을 것이다. 그렇게 나는 남편을 강제로 은퇴시켰다.

"사람이 잘 살다가 망하면 한강에 가는 마음을 이해할 수 있다"고 남편이 얘기한다. 나도 이해할 듯하다. 잘 살다가 한순간에 나락으로 떨어지니 그것을 견디고 감당하기가 힘들다. 가족 구성원이 다 힘들어진다. 지난날의 잘 살던 모습을 빨리 잊고 현실을 냉철히 보며 자신을 다잡고 생활해야 한다. 단숨에 복구하려고 하면 잘못된 판단으로 더 수렁에 빠질 수밖에 없다. 우리는 이렇게 긴 수렁을 간신히 빠져나오며, 지쳤지만 다시 일어서려고 했다.

1-6. 다단계와 보이스피싱에 당하다

코로나가 터진 후 나는 가게를 접었다. 남편도 하는 일이 없다 보니 가정에 특별한 수입이 없었다.

나도 남편도 동학 개미가 되어 주식을 하였다. 주린이다 보니 돈을 벌 때도 있었고 잃을 때도 있었다. 남편은 수익을 많이 낼 때도 있었지만 버는 것보다 잃는 게 많아서 결국 주식에서 손을 떼었다. 남편은 귀국 이후에도 몇 번의 사업을 시도하다가 실패하였지만 계속해서 사업을 하려 했다. 딱히 취업할 곳도 마땅치 않고 사업으로 다시 일어나고 싶어 했다. 남편은 내게 계속 돈을 달라고 요구했다. 몇 천 만원씩 가져다가 사업을 했지만 모두 없애고 말았다. 나도 지친 나머지 이제는 더 이상 줄 돈이 없다고 하였다.

"알아서 하세요! 나는 이제 더 이상 못 주니까."

남편이 무엇을 하는지 신경 쓰지 않았다. 그러던 중에 남편이 분주하게 왔다갔다 했다. 은행에도 가는 것 같았지만 자세히 물어보지 않았다. 어느 날, 남편은 다급하게 행동했다. 보이스피싱에 당한 것이었다. 그제서야 상황을 자세히 들을 수 있었다.

어느 은행이라고 하면서 남편에게 전화가 걸려 왔단다. 돈이 필요한 참이었으니 반가운 마음에 정신이 없었던 것 같다. 필요한 자금을 대출해 줄 테니 돈을 먼저 입금하라고 했단다. 대출을 하는데 먼저 돈을 달라 하고 또 그 돈을 현찰로 준비해서 가져다 달라는 게 말이 되지 않았지만, 남편은 돈을 빌릴 수 있다는 생각에 직접 돈을 건네 준 것이었다. 기가 막힌 노릇이었다.

경찰에 고소하고 CCTV를 보며 돈을 찾으려 했지만 소용없었다. 나중에 경찰에서 범인을 잡았지만 돈이 없다고 잡아떼는 바람에 한 푼도 찾지 못했다.

돈이 있으면 좋겠다는 급한 마음에 이런 어처구니 없는 일을 초래한 것이다. 충분히 당하지 않을 수 있는 일을 어이없게 당한 것은 초조함과 다급함 때문이다. 창피해서 누구에게 말할 수도 없었다.

나도 비슷한 어리석은 실수를 한 적이 있다. 수입이 없이 지내던 중 지인이 좋은 투자처가 있다고 하였다. 조금씩 돈을 보내면 더 많은 돈을 준다고 했다. 처음에 의심이 들었지만 다른 사람들도 돈이 잘 들어온다고 하고 조금만 지나면 투자금이 회수된다고 했다. 자기들이 알아서 내 밑으로 소개도 해준다는 것이다. 나는 친한 지인의 소개이기에 믿고 가입하였다. 그러고 얼마 지나지 않아서 우려했던 일이 발생했다. 회사에서 돈이 지급되지 않았다. 나는 깜짝 놀라서 서울의 회사도 찾아갔지만 이미 문은 닫혀 있었다. 나는 다단계에서 돈을 잃고 말았다. 지금 생각해도 너무 부끄럽다. 사람의 마음이 약해지면 당하지 않을 일에도 현혹된다. 경제적으로 불안정하다 보니 마음이 약해져 잘못된 선택을 하고 만 것이다. '호랑이 굴에 잡혀가도 정신만 차리면 된다'라고 했다. 상황이 안 좋은 때일수록 더욱 주의해서 정신 차리고 행동했어야 한다. 무엇이든 공짜는 없는데 말이다.

1-7. 60대에 온라인 세상에 입문하다

2022년 2월 코로나 확진을 받고 하루 종일 방구석에 누워 있었다. 거리두기로 인해 외출도 못할 때 유튜브 시청이 유일한 취미였다. 우연히 본 유튜브 채널에서는 찜질방에서 일하던 50대 아줌마가 1년 반 만에 자산 20억을 넘게 벌었다는 이야기가 흘러나왔다. 문재인 정부 때 부동산 집값이 하루가 다르게 어마어마하게 오르고 있었고 나는 여러 가지 경제적인 문제로 기운이 빠져있을 때였다. 약간의 우울함과 무기력 상태였던 나에게 찜질방 아줌마 스토리는 충격이었다. 무슨 말이지? 평범한 오십 대의 아줌마가 어떻게 돈을 벌었다는 것이지? 갑자기 궁금한 생각이 휘몰아쳤다. 이것을 좀 더 알아보겠다는 마음에 인터넷으로 찾아보게 되었다.

인터넷 검색으로 꿈꾸는 서여사 블로그를 찾았고 때마침 어떤 모집 글을 보게 되었다. 나는 이게 무엇이지 하는 호기심에 신청을 하였다. 모집글을 본인의 블로그에 공유하라는 말에 나는 얼른 블로그를 대충 만들었다. 그렇게 나의 온라인 세상으로의 첫걸음이 시작되었다. 그것이 '꿈꾸는 서여사의 부자 프로젝트'라는 것이었고 2021년 3월에 나는 꿈꾸는 서여사님을 만났다.

주1회 줌으로 미팅을 하고 부자가 되기 위한 여러 가지 방법과 자기개발, 동기부여 강의를 제공하였다. 그중에 중요한 것이 새벽에 일어나 공부하고 독서하고 식비 절약, 자기계발을 하는 것이었다.

운동도 하고 블로그도 열심히 하라고 하였다.

나는 올빼미족으로 늦게 자고 늦게 일어나는 타입인데 새벽에 일어나 인증을 하려니 몸이 힘들었다. 알람 소리에 일어나 타임 스탬프를 찍어서 오픈 카톡방에 인증해야 했다. 나는 새벽기상 후 독서를 하는 경우도 있지만 때로는 다시 자기도 하거나 낮에 너무 졸려서 하루를 비몽사몽하며 지내기도 하였다. 그 외 식비를 절약하고 신용카드를 사용하지 말고 경제 공부를 하라는 것 등이 있었다.

그때 내 나이가 60이었고 커뮤니티에서 제일 나이가 많은 편이었다. 40대 50대들이 많았고 60대는 거의 찾아볼 수가 없었다. 그러다 보니 내 나이를 밝히는 것도 싫었다. 나보다 젊은 사람들 속에서 온라인 세상을 접해보지 않아서 도구를 다룰 줄도 몰랐다. 줌 사용법도 모르고 블로그도 모르고 모든 것이 서툴렀다. 나는 젊은 사람들 속에서 잘할 줄도 모르면서 허둥대는 나의 모습도 싫었고 부자 프로젝트의 강의를 따라가는 것도 힘들었다.

하지만 다른 사람들은 정말 너무도 열심히 하는 것을 볼 수 있었다. 새벽에 일찍 일어나고 직장생활도 하며 독서도 하고 여러 면에서 무척 열심히 하는 것이었다. 나는 무엇 하나도 제대로 잘 따라서 하지도 못했고 그러는 와중에 자괴감만 들고 더 우울해지기만 했다. 서여사님은 나를 도와주려고 통화도 하며 때로는 줌으로 만나 이야기하며 애쓰셨지만 나는 제대로 쫓아가지 못하고 힘들어했다. 그래서 나는 그렇게 두 달을 하고 나오게 되었다.

그리고 다시 예전의 일상으로 돌아왔다. 변한 것 없이 비슷한 생활의 연속이었다. 그러던 중 변화 없는 생활을 계속하면 안 되겠다고 생각했다. 처음에는 온라인 세계에 많은 배움과 강의가 있는지도 몰랐고 또한 그렇게 치열하게 사는 사람들이 많은지도 몰랐다. 나는 지금껏 전혀 온라인 세상에 대해 알지 못했던 것이다. 그런데 이미 많은 사람들이 온라인 세상에서 열심히 살아가고 있는 것을 보고 놀랐다. 나는 다시 7월에 서여사님의 부자 프로젝트에 합류하면서 부동산을 배워야겠다는 생각으로 부동산 강의도 수강했다. 정말 열심히 따라가려고 공부하였다. 대신에 새벽기상은 하지 않고 내가 우선 하고자 하는 것에 집중했다. 모든 것을 잘하려고 허둥대지 않고 내 마음이 흔들리지 않게 만들었다. 내가 60에 온라인 세상으로 들어가게 된 계기이다.

제2장 60은 또 다른 사춘기다

2-1. 인생 3막 가장 주체적인 삶이다

인생 백세 시대이다. 은퇴 후 60이라 해도 남은 생이 길다. 그냥 집에서 놀면서 별로 의미 없는 시간을 보내기에는 시간이 너무 많이 남아있다. 가치 있는 삶을 위해 인생을 리셋해야 한다.

태어날 때는 내가 부모와 환경을 선택할 수 없다. 과거에는 부모의 말을 잘 듣고 자라는 것이 미덕이었다. 때문에 결혼 전 30년은 부모의 기대에 부응하기 위해서 살아왔다.

서른 쯤 결혼 이후에는 남편과 아이들이 생기게 된다. 과거에는 시댁이 우선이요, 남편의 경제력이 앞서는 까닭에 남편의 주장을 따르는 일이 많았다. 아이들을 양육하면서는 아이들을 우선으로 생활하게 되었다. 그렇게 내가 주인공이 되지 못하는 삶을 이어왔다.

60세가 될 때쯤이면 자녀들은 결혼을 했거나 이미 장성하여 독립하게 된다. 부모님도 돌아가시거나 살아계셔도 더 이상 내가 부모 그늘에 있지 않다. 부모의 간섭에서 벗어나, 오히려 부모를 돌보기도 한다. 젊어서는 남편의 주장을 따르는 경우가 많았지만 이제 60이 되면 남편의 경제력도 약해지고 아내의 힘이 더 커지기도 한다. 그래서 60이 본격적으로 자기 삶을 자기 뜻대로 사는 나이라고 생각한다. 인생의 마지막 1/3은 부모나 남편, 자녀로부터 독립하여 나의 삶을 온전히 살 수 있는 것이다.

60이 되니 인생을 바라보는 태도도 쉽게 흔들리지 않는다. 더 넓은 시각을 갖게 된다. 물론 체력이 약해지고 두뇌 회전이 느려지거나 손놀림이 더뎌지기도 한다. 그러나 그것은 작은 약점이다. 오히려 표면적 현상이 아니라 내면의 본질을 꿰뚫는 통찰력이 깊어진다.

≪내 인생 5년 후≫라는 책에서 저자는 말한다. 인생을 5년 단위로 계획하여 전략을 세우고 몰입하여 목표를 실행해 보라고 한다. 크고 담대한 목표를 세우고 5년을 매진해 보라는 것이다. 무엇보다 자기 자신을 절대 과소평가하지 말고 남들의 말에 흔들리지 말며 삶을 단순하게 하여 그 목표를 이루기 위해 많은 시간을 쓰라는 것이다.

나는 3년씩 나누어 계획을 세우겠다. 5년은 내게는 너무 먼 계획이고 3년의 시간을 계획하여 실행하는 것이 더 효율적이라고 생각한다. 내 목표를 위해 3년의 계획을 짜고 실행하겠다. 인생의 낭비를 없애겠다. 무엇이 맞는지 한 발 떨어져서 방향을 잘 보고 체크하며 나아가도록 하겠다.

나의 인생은 아무도 대신 살아주지 않는다. 오직 이 우주에서 하나뿐인 내 인생이다. 과거는 과거일 뿐이다. 지나간 일에 미련도 갖지 말고 후회도 하지 말자. 앞으로 남은 인생은 오로지 내 뜻대로, 내 의지대로 산다. 이제부터는 후회하지 않는 내 진짜 인생을 사는 것이다. 모든 일은 나의 선택으로 이루어진 것이라는 생각으로 주체적으로 살자.

2-2. 60이 되니 느끼는 변화들

사람은 누구나 나이가 든다. 60은 몸이 노화되면서 우울해지기도 한다. 이제 젊음을 되돌릴 수 없다는 사실에 슬퍼진다. 나이 들어 우울해지는 이유는 크게 네 가지이다.

첫 번째 외모의 변화는 우울한 마음이 생기는 주요 원인이다. 마음은 청춘인데 외모는 부정할 수 없는 늙은 모습이다. 점점 노인의 모습이 되어가는구나 실감한다. 그러나 이러한 노화는 누구도 거부할 수 없는 자연의 이치 아닌가?

두 번째는 신체 기능의 쇠퇴를 느끼기 때문이다. 시력이 나빠지고 귀가 잘 안 들리고 몸동작이 느려진다. 노안으로 인해 오랫동안 책을 읽는 것도 힘들어진다. 일상 대화에서도 작은 소리를 잘 듣지 못해서 다시 말해달라고 할 때가 종종 있다. 몸놀림도 둔해져서 예전처럼 가사 일을 하기가 힘들다.

세 번째는 경제적 능력이 줄어들기 때문이다. 내가 젊었을 때만큼 밖에 나가서 돈을 벌지 못한다. 누가 나를 고용하지 않고 내가 취업해서 돈을 벌기가 힘들다. 경제적인 능력이 약해지면서 나의 가치도 적어지는 것 같아 슬프다.

네 번째는 디지털기기와 같은 새로운 기술의 변화를 따라가지 못하기 때문이다. 이해력도 떨어지고 감각도 떨어지고 손도 느리고 모든 면에서 새로운 기술을 익히는 게 힘겹다. 그러다 보니 사회

변화에 재빨리 적응하지 못한다.

이러한 부정적인 변화들은 사회적인 활동에도 영향을 끼친다. 사람들을 만나서 대화할 때 소외되는 기분이다. 경제적으로 여유가 없다 보니 사회적인 만남을 주저하게 된다.

가정에서 역할 변화에 따라 서운한 감정이 생긴다. 가족을 돌보는 일에서 자유로워진 반면 나의 간섭을 불필요한 것으로 여기거나 서로 무관심할 때 외롭다. 가정에서 나의 존재감과 중요도가 낮아짐을 느낄 때 섭섭하다.

넓은 아량은 사라지고 작은 일에도 괘씸한 마음이 든다. 나를 몰라준다는 야속함과 서러운 마음이 교차하고 주인공이 아닌 주변인으로 내몰리는 듯 느낀다. 중심에서 주변인이 되는 것 같아 속상하다. 자녀들에게 큰 존재에서 작은 존재로 전락해 버린 것 같아 씁쓸하다. 자녀들은 자신들의 가치관에 따라 엄마를 따르거나 존중하지 않고 이치를 따진다.

하지만 조금 더 생각해보면 아이들은 이제 성인이 되어 각자의 주관을 가지고 살아가는 것이다. 이제 나는 아이들을 돌보고 키우는 것에서 벗어나 아이들과 친구처럼 서로 의견을 주고받는 사이가 되었다. 서로 힘이 되어주기도 하고 나를 위로해 주기도 하고 내가 도움을 받기도 하는 고마운 나의 자녀들이다.

100세 시대에 60은 어떤 모습으로 살아가야 할까? 60대는 시들어가는 것처럼 보일 수도 있지만 인생의 완숙기에 접어들었다고 할 수도 있다. 어떤 책의 제목처럼 "늙어가는 게 아니라 익어가는" 것이다. 어떤 마음과 자세로 살아가느냐 하는 것이 인생 후반 나의 삶을 좌우한다.

2-3. 60은 또 다른 사춘기다

10대에 사춘기를 겪는다. 10대의 사춘기는 아이에서 어른으로 바뀌는 신체 변화에서 정신의 변화까지 오게 되어 자신의 주장이 생기는 시기이다. 10대 사춘기를 '질풍노도의 시기'라고 한다. 어른들의 입장에서 아이가 반항하는 것으로 비치지만 아이들은 자기 주장을 가지며 어른이 되어가는 과정이다.

50대는 갱년기와 함께 오춘기라고도 한다. 50대의 갱년기는 성호르몬의 변화로 더 이상 아이를 출산할 수 없는 몸이 되며 여성으로서 특징을 잃게 된다. 더 이상 젊지 않고 몸 여기저기가 아프고 우울감도 심해진다. 50대도 많이 힘든 시기이다.

하지만 나는 50대보다는 60대가 '제2의 사춘기'라고 생각한다. 60대가 되고 나니 신체의 변화를 피부로 느낀다. 50대는 숫자상으로 50이라는 게 체감이 안 되었다면 60대는 몸이 늙어감을 피부로 느낀다. 시력 저하는 50대부터 있었다고 하더라도 60대에는 귀도 안 들리고 치아도 안 좋아져서 임플란트를 해야 했다. 몸의 감각이 둔해져서 균형감도 적어지고 유연성도 떨어진다. 아름다움을 잃어간다는 것은 실망감을 준다.

60대의 신체 변화는 정신적인 면에서도 변화를 가져다준다. 60대가 되고 보니 정신도 좁아지는 것이 아닌가 싶다. 다른 사람들의 작은 부정적인 말에도 쉽게 화가 나곤 한다. 욕쟁이 할머니처럼 조그만 것도 너그럽게 받아들이지 못하고 화를 낸다. 부끄러움은 사라지고 다른 사람의 눈을 의식하지 않고 내 주장만 강하게 어필할 때가 있다. 나와 맞지 않는 사람을 강하게 미워하는 마음도 생긴다. 내가 인정받지 못하는 데서 오는 자격지심인가 싶을 때도 있다. 늙어가는 것이 서러워 작은 일에도 분노를 느끼는 것이 아닐까 생각한다. 어떻게 나이 들고 잘 늙어가야 할지 고민해야 하는 시점이다.

서점이나 도서관에 가서 보면 40대 이야기, 50대 이야기는 종종 찾아볼 수 있다. 반면 60대의 이야기는 찾아보기 힘들다. 60대도 10대 못지않은 힘든 시기임에 틀림없다. 그 시기에 차분히 글을 쓴다는 것이 쉽지 않다. 자기 자신을 인정하고 받아들이기 어려운 시기이다. 더 이상 젊지 않다는 사실을 인정하고 싶지 않다. 50대는 아직 사회에서 역할이 있고 권력이 있으며 젊음이 있다. 60대는 그렇지 못하기에 화가 나 있는 것이다. 사춘기 못지않은 변화의 사추기? 가을로 가는 고개이다.

이 시기를 어떻게 보낼 것인가? 무조건 교양 있는 척, 너그러운 척, 가짜로 보낼 것이 아니라 진짜 나의 내면과 외면을 보며 나를 직시하고 나를 파악하고 나를 인정해야 한다.

60살 변해가는 나를 인정한다. 다시 나를 꾸리고 챙긴다. 새로운 단계의 시작과도 같다. 내가 좋아하는 것, 하고 싶은 것을 하자. 사람들도 좋은 사람, 편한 사람을 만나자. 할 수 있는 한 아름답게 꾸미자.

인간은 적응을 잘하기에 60대의 모습으로 또 살아갈 것이다. 하지만 무언가 새로운 도전을 하여 60대에 이루어낼 수 있도록 하자.

취미로 하는 그림을 배워 화가가 될 수도 있고 작은 글쓰기를 하여 작가가 될 수도 있다.

늙고 아프고 죽는 것은 누구나 거쳐 가야 하는 관문이다. 자연의 이치다. 억지로 그것을 거슬러 올라가려고 애 쓸 것이 아니다. 나도 내 엄마처럼 늙어가는 것이 자연의 이치이다. 나는 더 예뻐지지 않을 것이고 여기저기 몸이 아프게 될 것이다. 몸은 조금씩 고장이 나서 나중에 걷는 것도 힘들어질 것이다.

이러한 나의 모습을 받아들이고 내가 어떠한 마음을 갖고 이 60대를 보낼 것인가 답을 찾아야 한다. 정신은 늙지 않고 익어가는 60대가 되길 바라면서 어떤 나이여도 나를 사랑하며 행복한 삶이 되도록 나를 보살피고 존중하자.

이 세상에서 내가 가장 소중하다. 내가 크게 성공했든 안 했든 뛰어나든 뛰어나지 않든 한번 뿐인 내 인생이다. 나를 가장 사랑하며 나 자신의 멋진 삶을 위해 하루하루를 살아가자.

제3장 인생 3막을 설계하자

3-1. 새로운 인생의 시작을 위하여

시작은 옳다, 언제나.

사람은 누구나 나이를 먹는다는 사실을 알면서도 모르는 것처럼 살아간다. 나이가 60이 되고 보니 나의 삶을 되돌아보고 앞으로의 인생을 새롭게 계획해야겠다는 생각을 갖게 된다. 나이 먹음은 그 누구도 피할 수 없는 일, 긍정적으로 새롭게 시작해 보자.

나는 59세에 빨리 60이 되기를 바랐다. 일종의 아홉 수처럼 힘든 일이 많아서 빨리 60이 되어 새롭게 시작하고 싶었다. 다단계에서 피해를 보았고 보이스피싱으로 돈을 잃었다. 고정수입이 없어서 하루하루가 힘든 생활이었다. 나이가 있어서 새로운 직업을 찾기도 쉽지 않고 사업을 하기에는 감당해야 할 리스크가 두려웠다. 은퇴자금도 충분히 준비되어 있지 않았다. 힘든 상황에 무엇을 어떻게 해야 할지 막막했다. 무언가 시작하기에 정신적으로 육체적으로 힘이 나지 않았다.

60이 되고 나는 다시 힘을 내기 시작했다. 나의 인생 3막이 시작된 것이다. 나이에서 앞자리가 바뀌며 새롭게 인생을 설계하고 싶었다. 온라인에서 열심히 살아가는 사람들을 보고 또한 60이 넘은 사람들도 치열하게 살아가는 걸 보면서 열심히 살고 싶은 생각이 들었다.

앞으로의 인생 30년을 위하여 나는 가만히 있을 수 없다. 백세 시대에 30년은 전체 인생의 1/3에 해당한다. 인생의 1/3을 그냥 흘러가는 대로 살 수는 없지 않은가? 비로소 나의 결정과 뜻에 따라서 살 수 있는 때를 맞이했는데, 이 소중한 기회를 아무것도 하지 않고 되는 대로 살 수는 없다. 평균수명이 칠십일 때 나이 육십은 은퇴 후 소일거리를 하며 시간을 보내다 세상을 떠나도 되는 나이였지만 지금은 그렇지 않다. 앞으로 살아야 할 시간이 많이 남아있다. 그 귀중한 시간들을 의미없이 흘려 보낼 순 없다. 가치 있고 풍족한 삶을 위하여 나는 무언가를 해야 한다.

이제 그 시작을 위하여 다시 날개를 움직이고 꿈틀대려고 한다. 지나온 시간들에 대한 회한은 모두 접어 둔다. 앞으로 남은 시간들을 생각한다. 어떻게 살아야 할지 무엇을 할지 이제부터 연구하고 계획하고 정진하자. 내 빛나는 인생 후반전을 위하여.

겉모습은 비록 조금씩 늙어갈지라도 내면의 힘을 길러서 해내는 사람이 되기를 소망한다. 모든 결과는 이제부터 내가 생각하고 행동한 데서 나온다. 나이가 든다는 것, 늙어감을 서글프게 생각하지 말자. 멋지게 나이듦을 생각하자.

3-2. 인생에서 나의 의지로 되지 않는 일들

첫째로, 어떤 환경에서 태어나는가이다. 평범한 집의 막내딸로 태어난 것은 내가 선택할 수 있는 일이 아니다. 그것은 나의 많은 것을 운명지었다. 어떤 국가에서 태어나는가도 우리의 삶을 많이 지배한다. 태어난 집안의 환경이나 부모의 영향에 따라서 사고방식이나 생활습관이 결정된다. 가정 환경도 나에게 많은 영향을 주었다. 어릴 때 풍요로움도 느꼈지만 성년 이후에는 경제적 어려움을 느끼며 생활해야 했다.

둘째로, 결혼이다. 물론 배우자를 선택한 것은 나이지만, 이것도 어떤 면에서 운명이라고 생각한다. 결혼적령기에 나를 둘러싼 환경의 영향도 있고, 이성에 대한 판단 수준이 높지 않은 상태에서 내린 선택이었기 때문이다. 결혼하면서 생긴 시댁 가족들도 내가 선택하지 못하는 것이다. 내가 남편을 선택하고 전혀 예상하지 못한 환경 속에 들어가 생활하는 것도 운명이다. 결혼은 내 인생에 큰 영향을 미쳤다.

세 번째로 나의 자녀들이다. 나는 물론 자녀를 원했다. 자녀들을 사랑한다. 하지만 자녀들은 나의 유전자를 받은 측면도 있지만 내 삶에 운명으로 들어온 면도 있다. 자녀들이 부모를 만난 것도 운명이지만 부모도 자녀를 만난 것이 운명이다. 자식 또한 내 삶에 커다란 영향을 주었다.

이 세 가지는 정말 내 뜻이 아닌 신의 영역이다. 물론 남편은 이혼이라는 선택을 할 수도 있지만 배우자와의 만남도 운명적인 면이 강하다.

출생과 결혼, 자녀와 같이 기본적으로 우리는 운명적 환경 속에서 살아간다. 그러나 일상의 많은 부분들은 내가 원하는 대로 선택하며 살 수 있다. 나에게 주어진 운명을 탓하거나 원망하지 말며 주어진 운명을 받아들이고 그 속에서 어떻게 잘 살아갈 것인가를 연구하자.

원망하고 부정하는 것은 의미 없다. 나를 둘러싸고 있는 가족들을 인정하고 내가 할 수 있는 것을 하자. 그 누구도 아닌 내가 가장 온전히 살 수 있도록 나를 보살피며 나의 인생을 살아가자.

60 인생에 성공과 실패, 많은 일들이 롤러코스트처럼 있었지만 평탄하기만 한 삶이 얼마나 있겠는가. 어느 데이트하는 연인이 있었다. 여자가 남자에게 헤어지자고 했는데, 그 이유가 너무나 평온하고 좋은 날들만 있어서였다고 한다. 삶의 쓴맛도 매운맛도 있어야 하는데 달콤한 맛만 있으니 지루함을 견디지 못한 것이다.

실수해도 괜찮다. 누구도 완벽하지 않은 삶이다. 설사 어려움이 닥쳐도 지혜롭게 용기 있게 헤쳐나가길 바란다. 오늘 행복하는 데 집중하자.

3-3. 다이어트가 필요하다

우리는 평생 다이어트를 한다고 한다. 모두 날씬해지고 예뻐지고 싶어서다. 이것은 사람으로 당연한 본성이라고 생각한다. 한국 사람은 특히 남에게 보이는 시선을 중요시하니 더욱 신경 쓰는 것 같다. 나도 식탐이 있어서 외식을 하면 음식을 잘 남기지 않는다. 배가 불러도 먹는다. 남기면 버리게 된다고 생각하니 아깝다는 마음에 입으로 다 넣는다. 배고픈 것도 못 참는다. 그래서 밤에도 배가 고프면 먹어야 한다. 그렇게 하다 보니 나이가 들수록 살은 계속 불어난다.

얼마나 미련한 짓인가? 그 음식이 내 뱃속에 들어가 건강 상태를 나쁘게 만든다는 것을 알면 아무리 아까워도 음식을 과하게 먹으면 안 된다. 음식 낭비는 돈 낭비보다 나쁜 것이다. 건강을 해치기 때문이다. 배부르게 먹으면 살도 찌고 건강에도 좋지 않으니 알맞은 양을 먹고 숟가락을 내려놓아야 한다.

정신적 다이어트도 해야 한다. 우리는 살면서 돈과 사람들로 인한 걱정 때문에 스트레스를 받는다. 사람들과의 사이에서 작은 문제가 생기면 잠을 못 자고 속상해한다. 때로는 중요하지도 않은 것을 신경 쓰느라 정작 중요한 것을 챙기지 못한다. 인간관계는 인생에서 지속적으로 풀어야 하는 문제이다. 나도 성격이 싹싹하여 사람들과 아주 부드럽게 잘 지내거나 외향적이어서 내 주장을 잘 말하는 편이 아니다. 지나고 나서 속상해하고 힘들어할 때가 많다. 때로는 선

하지 않은 사람들의 의도에 따라서 내가 당한 것이 아닌가 하는 경우도 있다. 그리고 혼자 스트레스를 받고 신경 쓰는 경우가 많다. 때로는 아주 하찮은 일인데도 누군가 나에게 부정적인 말을 하면 한참을 속상해한다. 이렇게 하는 것은 나에게 손해다. 다른 하찮은 일에 신경 쓰느라 중요하고 생산적인 일도 하지 못하고 내 기분도 우울하게 만들기 때문이다.

나는 정신적인 다이어트도 해야 했다. "미움 받을 용기"처럼 내가 모든 사람에게 잘 보일 필요도 없고 모든 사람이 나를 좋아할 수도 없다는 것을 알아야 한다. 내가 정말 좋아하는 사람들을 신경 쓰고 때로는 내가 미움을 받더라도 내가 하고 싶은 대로 살아가는 용기가 필요하다. 나랑 맞지 않는 사람들은 무시해야 한다.

내 정신의 다이어트를 하자. 정말 중요한 것만 신경 쓰고 다른 하찮은 일은 감정의 쓰레기통에 내다 버리자. 세상을 살아가는 데 가장 중요한 타인과의 관계에서 나의 주도대로 인간관계를 맺어 내 인생의 주인으로 살아가는 것이다. 나이가 들수록 나를 힘들게 하는 사람들은 만나지 않고 나랑 맞는 사람들과 어울리는 것이 필요하다고 느낀다.

살아가다 보면 왜 그렇게 물건이 계속 늘어나는 것인지 깜짝 놀랄 때가 있다. 집안에 물건이 계속 많아진다. 필요해서 사기도 하고 얻어오기도 한다. 어떤 물건은 일년내내 사용하지 않거나 한두 번 사용하는 것도 있다. 늘어나는 살림살이로 집은 점점 복잡해진다. 그래서 이제는 정말 필요한 것만 사려고 한다. 저렴한 물건 두 개 사는 것보다 좀 더 비싸게 주더라도 쓸모 있는 물건 한 개를 사려고 한다. 옷도 마찬가지다. 좀 예쁘니까 산다거나 그냥 괜찮을 것 같아서 사는 것보다 오랫동안 입을 것인지, 가격보다 효율성을 따져가며 사려고 한다. 몇 번 입지 않거나 사용하지 않는 물건은 당근마켓 등에 팔아가며 물건을 다이어트하자.

깨끗이 정돈된 집을 보면 정신도 단순해지고 기분이 상쾌하다. 집 안에 물건이 많아지면 돈 낭비, 자원 낭비일 뿐 아니라, 정신적으로도 복잡해져서 정신의 낭비이다.

물건에 대한 다이어트, 정신의 다이어트, 할 일에 대한 다이어트, 먹는 것에 대한 다이어트, 이 모든 다이어트는 나에게 심플한 인생을 살게 하고 나를 소모적인 일에서 해방시켜줄 것이다.

3-4. 조금 느려도 괜찮다 방향을 맞추어 가자

누구나 부자가 되고 싶어 한다. 하지만 바라기만 하면 안 된다. 구체적인 계획을 세우고 나만의 전략을 세우고 실행해야 한다. 부자들은 평범하게 희망하기보다는 부자가 되겠다는 강한 욕망이 있다. 강한 욕망이 그들을 부자가 되기 위해 행동하게 만든다.

현재 상황이 어떻든 내가 부자가 되기로 결심했다면 지금부터 목표를 세우고 실행해야 한다. 때로는 다른 사람들을 보면서 내가 뒤처지는 것이 아닌가 조바심이 날 수도 있다. 얼굴 생김새가 다르듯이 부자가 되는 방법도 다를 수 있다. 다른 사람과 나를 비교하여 자괴감이 들지 않도록 하자. 그들은 그들만의 속도가 있고 나는 나만의 속도가 있다. 거북이가 토끼를 이긴다는 마음으로 나만의 속도로 꾸준히 하는 것이 중요하다. 다른 사람과 나의 성공을 비교하지 말고 오직 내가 할 수 있는 목표를 위해서 달리는 것이다. 가다 보면 돌부리도 만나고 웅덩이도 만난다. 거기에서 중요한 것은 방향을 잘 맞추는 것이다. 비록 가다가 넘어지더라도 내가 가야 하는 목표를 잘 보고 가야 한다. 방향 체크가 가장 중요하다. 열심히 달려서 엉뚱한 곳을 가지 말도록 해야 한다.

무엇보다 중요한 것은 꾸준히 하는 것이다. 한때의 열정으로 시작하여 그것이 흐지부지되지 않도록 끊임없이 내가 왜 이것을 해야 하는지 목적을 알아차리며 꾸준히 할 수 있어야 한다. 내 목표만을 위해서 한걸음씩 내딛는 거북이가 되는 것이다. 토끼를 보며 위축되지 말고 남들의 비판에 흔들리지 말며 오로지 나의 길을 가는 것이다. 그 방향은 나의 삶의 이유이며 가치이다. 신이 나에게 내린 명령이라 생각하고 흔들리지 말며 할 수 있다는 자신감으로 한발짝 아니 반발짝이라도 내딛고 나아가라. 시간은 얼마든지 있다. 조바심, 자괴감, 비교하는 마음, 열등감, 능력 부족이라는 걱정에서 벗어나라.

신이 내린 달란트를 가지고 얼마든지 내 능력으로 할 수 있다는 믿음으로 걸어가라. 구체적 전략을 세워 행하라. 내가 꿈꿀 수 있는 최대한의 목표를 세워라. 조금 느려도 걱정하지 말라. 방향을 똑바로 보고 걸어라. 지금 당장 행하라. 실행하지 않는 사람에게는 운이 따르지 않는다. 실행은 버튼이다. 생각을 누르는 버튼은 행동이다. 오늘 당장 행동하라. 신은 앞에서 나에게 줄 행운의 보따리를 들고 있다. 거기까지 가는 것이다. 앞의 돌멩이는 치우면서 가면 된다. 비록 느릴지라도 끝까지 완주하라.

제4장 돈 공부와 소득 창출하기

4-1. 놀아야 하는 나이? 은퇴자금이 부족하다

나는 지금 환갑이다. 내가 어렸을 때만 해도 환갑에는 오래 살았다고 잔치를 하며 만수무강을 빌었다. 이제 환갑은 오래 산 것이 아니라 인생 중반을 지나는 느낌이다. 백세 시대가 되다 보니 환갑에도 여생이 40년이나 된다. 하지만 사회에서는 50세만 넘어도 은퇴하기 시작한다. 나도 50대 중후반이 되니 직업을 구하기가 쉽지 않았다. 앞으로 살아가야 할 날이 많이 남아 있다. 아직 자녀들을 다 독립시키지 못했고 마련해놓은 은퇴자금도 부족하다. 은퇴자금을 충분히 마련한 사람들은 걱정이 없겠지만, 많은 사람들은 그렇지 못하다. 은퇴자금을 잘 마련해둔 친구들은 놀러 다니고 취미생활도 하면서 여유롭게 노후를 보내기도 한다. 솔직히 부럽다. 나는 여태껏 왜 그렇게 못했을까 후회도 들지만 지나간 과거를 후회한들 무슨 소용이 있으랴. 이제부터라도 정신 차리고 새롭게 내 인생을 설계해야 한다.

어머님이 아직 살아계시고 가끔씩 용돈도 드려야 한다. 아직 부모님을 돌보아야 한다. 자녀 한 명은 독립했지만 한 명은 아직 공부 중이다. 남편과 나는 작은 일이라도 수입을 만들어야 한다. 국민연금이 나오려면 아직도 몇 년은 더 있어야 한다. 조금 있는 재산으로 놀고먹을 수는 없다. 몇 년 동안 부동산도 오르고 물가도 오르고 금리도 올랐다. 자칫하면 더 가난으로 떨어질 수 있다. 무언가 정신 차리고 계획하고 준비하지 않으면 안 된다. 세상은 빠르게 발전하고 변화한다. 기술이 발전함에 따라 휴대폰 사용법도 익혀야 하고, 무인 가게 키오스크에도 적응해 가야 한다. 세상의 빠른 변화 속에 뒤처지지 말고 변화를 올라탈 줄 알아야 한다.

생산적인 일, 돈 버는 일을 해야 한다. 물론 체력이 받쳐주지 않아서 몸을 많이 쓰는 일은 어렵다. 무슨 일을 해야 할까 곰곰이 연구해야 한다. 내가 육체적으로 힘들이지 않고 할 수 있는 일, 나의 경험과 지식의 노하우를 활용하여 할 수 있는 일을 찾아봐야 한다. 60대 후반, 70대 중반까지는 충분히 일할 수 있는 나이이다. 일 없이 빈둥거리는 것이 아니라 무언가 일을 하고 수입도 만들고 더 활기차게 살아야 한다.

4-2. 온라인에서 강사가 되다

온라인 세상에 들어와 공부를 하면서 자기만의 콘텐츠를 찾아야한다는 이야기를 들었다. 내가 잘할 수 있는 것이 무엇인가 아무리 생각해봐도 잘하는 것이 떠오르지 않았다. 내가 학창 시절에 공부를 잘했고 대학을 나왔지만 지금 이 나이에는 그것이 별로 소용이 없었다. 다른 특별한 재주나 특기도 없다. 그러다가 7월 말쯤에 한 가지 생각이 떠올랐다. 그래 내가 지금 잘하는 것이 없으니 블로그라도 열심히 배워서 블로그를 잘 해봐야겠다. 애드포스트도 받아보자는 생각이 들었다.

그런 생각이 문득 들었고 나는 즉시 블로그 수업을 찾아 신청하였다. 그때까지 내 블로그는 이웃이 150명 정도에 댓글이나 공감도 한두 명 정도로 아주 적었다. 당연히 나는 블로그 운영하는 방법도 잘 몰랐다. 컴퓨터 사용이라든가 IT 쪽으로 잘하지 못했다. 나의 블로그는 누가 찾아오지도 않는 수준이었다. 블로그를 잘해보자는 생각에 8월부터 블로그 수업을 듣게 되었다. 3주 과정의 블로그 수업, 나는 진짜 열심히 했다. 처음부터 잘 배우려고 결심했기 때문에 강사님이 하라는 것을 다 하고, 하루 종일 블로그만 할 정도로 매달렸다.

어느 날은 서로이웃도 계속 신청해서 더 이상 할 수 없다는 멘트가 나올 때까지 했다. 처음에는 하루에 서로이웃을 신청할 수 있는 인원 제한이 있는지도 몰랐다. 아침부터 바빠서 포스팅을 못 한 날은 밤 11시에라도 써서 그날 안에 포스팅을 하여 목표를 달성하려 했다. 나를 드러내야 한다는 강사님의 말씀에 처음엔 내키지 않았지만 점차 나를 드러내기 시작했다. 강사님의 열정적인 강의로 많은 것을 배울 수 있었다. 수업을 들으면서 파워블로거의 글을 찾아보며 벤치마킹도 하였다. 3주간의 수업이 끝나고 나는 수강생 중에 MVP가 되었다. 나는 뿌듯했다. 내 블로그의 조회수는 10배 이상이 되었고 서로이웃은 2천 명 이상 늘었다. 내 노력의 보상을 받는 느낌이었다. 내가 제일 나이가 많음에도 제일 잘했다는 것에 자부심을 느꼈다.

그 후에는 한 달간 매일 블로그 포스팅 챌린지를 완수하였다. 내 블로그는 전달보다 두 배의 조회수를 기록하였다. 그리고 주위의 몇몇 분의 요청으로 블로그 글쓰기 챌린지를 운영하게 되었다. 나의 블로그 수업은 이렇게 시작하였다. 처음에는 초보가 왕초보를 가르친다는 개념으로 시작하였다. 이렇게 한 달 한 달 수업을 하다 보니 내가 더 공부하게 되고 잘 알게 되었다. 나는 아주 작은 온라인 파이프라인을 심게 된 것이다. 8월에 블로그 수업을 듣고 10월에 블로그 강사가 되었다.

부족한 초보였지만 최선을 다해 가르쳤다. 내게 와서 배우는 한 분 한 분의 시간과 돈이 아깝지 않도록 정성을 다하였다. 부족한 부분은 책이나, 유튜브, 인터넷으로 배워가며 혼자서 연구하며 노력했다. 물론 강의하면서 어설픈 점도 있었지만, 내가 초보로 강의를 시작했기에 왕초보의 마음을 잘 이해하고 쉽게 설명한다는 평가를 받았다.

60대의 나이에 강의를 한다는 것이 나에게 큰 도전이었고 더욱이 잘 모르던 분야를 배워가며 짧은 시간 안에 가르칠 수 있게 되니 마음만 먹으면 할 수 있다는 것을 실감했다. 줌 사용법도 모르고 녹화도 처음이고 동영상으로 녹화본을 만드는 것도 처음이었다. 미리캔버스나 캔바를 사용하여 PPT를 만드는 것도 처음이었다. 이러한 것들을 하나씩 배우고 도전하여 성공하였다. 결심하고 실행하고, 나도 할 수 있다고 믿으니 가능했다. 도전은 나를 성공으로 이끌었다.

4-3. 동학개미가 되어 주식을 공부하다

코로나가 세상에 번졌다. 가게를 접었다. 그리고 나는 동학개미가
되었다.

예전에는 주식에 부정적이었고 왠지 주식을 하면 돈을 잃는다는
불안감에 주식은 하지 말아야 한다고 생각했다. 그런데 코로나 위
기 속에서 유동성이 많아지면서 주식 투자가 필요하다는 것을 깨달
았다. 코로나로 인한 경제위기를 극복하기 위해서 각국 정부에서
돈을 풀었고, 늘어난 유동성이 주식이나 부동산 시장으로 흘러들어
갔기 때문이다.

몇 년 전부터 친한 친구가 주식을 해보는 게 어떻겠냐고 얘기했
지만 그저 귓등으로 들었다. 그 때는 관심이 없다가 코로나를 계기
로 주식을 하게 되었다. 유튜브를 매일 보았고 주식에 대한 정보를
알기 위해 애썼다.

맨 처음에 삼성전자를 사는 것부터 시작해서 하나하나 배워갔다.
초보로서 실수도 많이 했다. 어느 회사의 좋은 뉴스가 있으면 나는
사려고 애썼고 고점에 물리기도 했다. 무료 유료 리딩방에도 가입
하여 그곳에서 추천하는 주식을 사며 돈도 잃어보았다. 떨어질 때
물타기 한다고 너무 비중을 크게 만들기도 하고, 이것저것 좋다고
하는 종목들을 매수하니 각 종목에 대하여 잘 대응하기도 힘들었
다. 공부한다고 하루 종일 주식 창을 보고 책도 읽고 수없이 많은
유튜브를 보면서 나름 열심히 했지만 돈을 벌 때도 있고 잃을 때도

있었다. 그때는 시기적으로 오르는 장이었기에 큰 어려움 없이 했고 열심히 사고팔고를 하였다.

그러나 주식이 처음에는 오르는 장이었다가 나중에 내리는 장이 되니 어떻게 손을 쓸 수가 없었다. 거의 모든 주식이 내려가는 것이었다. 여러 종목들이 물리고 제때에 빠져나오지 못하였다. 경험과 판단 부족으로 손절하지 못하고 마이너스 주식을 껴안게 되었다. 나는 안간힘을 쓰며 잘해보려고 했으나 내 힘으로 되지 않는 종목들이 생기고, 내려가는 장에서 물린 주식들을 가지고 시간이 가기만을 기다렸다.

그러다가 지난 2022년 여름부터 오일 관련 ETF 주식을 매매하여 지금까지 좋은 실적을 거두고 있다. 주가의 방향과 상관 없이 독자적인 종목이다. 비록 움직임은 작지만 안정적이다. 그리고 지금은 이차전지 종목을 집중하여 수익을 거두었다. 내가 지금 어디 가서 일하는 월급보다 많은 수익을 내고 있다. 예전의 초보 시절보다 종목을 줄였고 집중할 수 있게 되었다. 그 종목에 대하여 공부를 더 심도 있게 하고 대응도 탄력적으로 하게 되었다. 장기적인 안목으로 산업과 종목을 보게 되고 나의 심리도 조절하게 되었다. 아직도 더 공부해야 하지만 조금 발전해 가고 있다고 느낀다. 큰 손실을 보지 않도록 때로는 손절도 하며 여유자금을 마련해 놓아서 마음을 안정되게 유지해야 한다.

초보일 때는 여러 종목을 살 수밖에 없다. 초보일 때 한두 종목처럼 종목을 적게 하라고 충고하는 사람들이 있다. 잘 모르니까 적은 종목으로 압축해서 공부하며 대응하라는 것이다. 그러나 주식을 공부하려면 한 두 종목만 사서는 공부가 안 된다. 여러 섹터의 종목을 사야 더 관심을 갖게 되고 자연히 그들을 공부하게 되는 것이다. 내가 그 종목을 사야 관심을 가지고 공부하게 된다. 그래서 처음에는 내가 감당할 수 있는 범위 내에서 여러 종목을 사봐야 한다. 다만 큰 돈을 들이지 않고 적은 돈을 가지고 해야 한다. 공부한다는 마음으로 해야지 돈을 벌겠다는 욕심으로 많은 돈을 넣으면 대응이 어렵다. 열정만으로 쉽게 고수가 되지 않는다. 수영이나 골프도 아무리 열심히 해도 처음부터 잘하지 못하는 것처럼 주식도 어느 정도 경험이 쌓여야 한다. 그리고 실전이 있어야 한다. 그냥 공부로는 잘 먹히지 않는다. 실수와 실패를 하면서 배우게 된다.

그렇게 하면서 차트 보는 법도 알게 되고 어떤 섹터에 어떤 회사들이 있는지도 알게 된다. 어떤 드라마가 히트하게 되면 어느 회사가 관련이 있어서 주가가 올라갈 것인지도 예상할 수 있고 선거가 있으면 각 후보자와 연관된 회사 추이도 보게 된다.

좋은 뉴스가 있다고 사는 것이 아니라 팔아야 하는 경우도 있고, 작전세력의 움직임을 봐야 한다는 숙제도 있다. 유튜브에서도 특히 증권 관련 일을 하는 사람들의 말을 너무 믿으면 안 된다. 그들은 직업적 이유 때문에 특정 종목을 유리하게 말할 수 있다. 국내 뉴스만이 아니라 국제 뉴스도 알아야 한다. 경제의 흐름을 알려고 노력해야 한다.

주식을 처음 배울 때는 주식의 오르고 내리는 장을 다 경험해보고 한 바퀴를 돌아봐야 한다. 이런저런 어려움이 있었지만 나는 주식 투자를 시작하기 잘했다고 생각한다. 처음에는 주식의 생리를 배워야 하고 돈을 잃기도 하지만 계속 공부하고 전략을 잘 짜면 수익을 낼 수 있다. 어려운 장에서는 개별종목이 아니라 전체적인 흐름 속에서 어떤 ETF를 고르고 또 대응해가면 수익을 낼 수 있는지 연구한다.

전반적인 경제의 흐름을 알아야 하고 세계경제도 알아야 하니 항상 뉴스의 끈을 잡고 있어야 한다. 마음의 여유가 있어야 하므로 대출해서 투자하면 안 되고 여유자금을 가지고 해야 한다. 조급해 하지 말며 길게 보고 자금의 완급조절을 해가며 차트와 뉴스와 작전세력의 심리까지 보려고 한다.

주식은 내가 오랜 시간 계속할 재테크이다. 장이 좋을 때도 내리막일 때도 연구해서 할 것이다. 너무 과하게 욕심내지 말고 무리한 투자를 하지 않고 공부를 해가며 한다. 주식을 잘 배워두면 나이가 들어서도 육체적으로 힘들이지 않고 수익을 벌 수 있는 좋은 방법이라고 생각한다.

4-4. 부동산 공부해야 한다

부동산 시장에 대해 모르고 살아왔다. 어려서부터 부동산은 내가 살 집 하나 있으면 된다고 생각했다. 부동산 관련 뉴스를 들으면 부동산으로 돈 버는 것이 나쁜 것처럼 묘사되어 부정적인 인식을 가졌던 것 같다. 부동산을 사고팔면서 이득을 보는 사람들을 좋지 않게 생각했고 부동산 투자와는 아주 동떨어지게 생활했다.

2000년 후반에 한국에 와서 의정부에 아파트를 사게 되었다. 그리고 외국에 가면서 전세를 주었다. 당시 부동산 하락기인지도 모르고 매수하였고 시간이 갈수록 아파트 가격은 떨어졌다. 외국에서 관리하기도 어렵고 가격도 내리기에 나는 의정부 아파트를 팔았다. 귀국 후에도 부동산에 대하여 관심을 갖지 않고 다른 일에만 신경을 썼다. 부동산에 무지한 채 노동소득으로 살아가기 바빴다. 그러던 중 갑자기 서울의 부동산이 오르기 시작했다. 매일 부동산 가격이 올랐다는 뉴스만 나왔다. 나는 갑자기 마음이 급해졌다. 나중에 서울에 살아야지 하는 막연한 생각이 있었는데 서울 부동산이 마구 오르는 것이었다. 나는 조급해져서 서울 아파트를 알아보기 시작했다. 이미 올라서 매수할 수 없는 가격이었다. 그렇게 내가 허둥지둥 하는 사이에 남편은 서울의 빌라를 매수했다. 그 이후에는 수도권과 지방 부동산이 오르기 시작했다. 지인이 지방의 구축 아파트를 살 것을 권유했지만 나는 관심이 없었다. 얼마 후 지인이 매수를 권했던 아파트는 억대로 오르기 시작하였다. 나는 후회했다. 노동소득에 비해 몇 배, 몇십 배의 수익을 얻을 수 있음에도 부동산에 대해 무지했기에 사지 못한 것이었다. 하루가 다르게 가격이 상승하는 아파트에 비해 오르지 않는 나의 빌라를 보며 뼈아픈 후회가 들었다. 부동산 공부를 하지 않아서 남들이 돈을 벌 때 아무 수익도 내지 못함에 후회가 들었다. 자본주의 사회에 살고 있으면서 돈에 대하여 공부하지 않았고 부동산이 얼마나 중요한 자산인지 몰랐다.

이제부터라도 부동산을 공부하고 내가 살 집을 사더라도 좋은 지역에 사야 한다는 것을 깨달았다. 부동산도 사이클이 있고 세금 문제 등 알아야 할 것이 너무 많다. 나는 지난해에 온라인으로 부동산 수업을 들었다. 그렇게 하나하나 공부를 제대로 하기로 결심했다. 지금은 몇몇이 임장도 다닌다. 부동산에 관한 책을 보며 공부하고 있다. 우리의 자산 중에서 가장 많은 부분을 차지하는 부동산을 운에 맡기는 것이 아니라 공부해야 하는 것이다.

4-5. 독서는 취미가 아니라 공부다

내가 어렸을 때는 책이 귀했다. 읽을 책을 구하기 힘들었다. 어린 시절에는 장화홍련전, 구운몽, 사씨남정기 등을 읽었다. 초등학교에서는 강감찬 장군 위인전 같은 전기도 읽었다. 학교에서 책 밑에 세 줄씩 요점을 적으며 읽은 기억이 난다. 어려서는 TV도 없고 별로 할 것도 없어서인지 책 읽는 것을 좋아했다. 그때는 주로 재미로 읽었다. 커서도 책을 좋아했고 취미는 항상 독서였다. 외국에 많이 살았기에 외국에 나갈 때는 인천공항의 책방에 들러서 책을 몇 권씩 사 갔다.

늘 책을 가까이하며 살았다. 젊어서는 시집이나 소설도 좋아했지만, 점점 에세이나 경제, 자기계발서를 보게 되었다. 한번 읽고 나면 잘 잊어버린다. 그래서 작년부터 블로그에 읽은 책에 대해 쓰기 시작했다.

책을 읽을 때는 연필로 중요한 부분이나 문장을 밑줄 긋는다. 그리고 다 읽은 후에 블로그에 쓸 때 그 밑줄 친 부분을 보며 문맥에 맞게 글로 정리한다. 글을 쓰면 다시 한번 책의 글귀가 마음에 새겨진다.

부자들은 대부분 책을 많이 읽는다. 책을 많이 읽고 난 후 부자가 됐다는 사람도 많다. 그들은 시간이 남아서, 혹은 심심해서, 재미로 책을 읽을까? 그렇지 않다.

돈 공부, 경제 공부, 전문 지식 공부, 인간관계, 심리 등을 책을 통해 배운다. 예전에는 독서를 취미로 생각했다. 소극적인 독서다. 지금은 적극적인 독서다. 취미가 아니라 공부이다. 돈에 대한 공부이고, 삶에 대한 공부이다. 책에서 배울 점을 찾고 때로는 책을 탐독하고 연구하여 저자의 의도를 파악한다. 책을 내것으로 만들기위해 책에서 핵심과 의미를 찾으며 적용할 점을 찾고 실행에 옮기도록 노력한다. 그저 단순하게 한번 읽는 것만으로 끝내는 것이 아니다.

독서에도 여러 가지 방법이 있다. 우선 책의 목차, 프롤로그를 보고 책의 내용을 추측한다. 마음에 드는 챕터를 먼저 읽어보고 내가 볼 책인지 결정한다. 때로는 필요한 부분만 읽기도 하고 필요하지 않거나 아는 내용은 건너뛴다. 가볍게 봐도 되는 책은 정독하지 않고 속독하고, 중요하다고 생각하는 책은 정독한다. 저자의 지식을 책 한 권을 통해 배울 수 있는 독서는 적은 돈을 들여 가장 빨리 배우는 방법이다.

독서, 이것은 평생 가져가야 하는 공부이다.

4-6. 성격에 맞는 일을 하다

온라인에서 치열하게 살아가는 사람들을 보고 나도 그들을 따라가려 애썼다. 그래서 작은 실력으로 블로그 수업도 하고 새벽공부반도 이끌었다. 무자본 창업 강의도 들으며 내가 무엇을 하며 돈을 벌어야 할지 찾으려고 애썼다. 먼저 성공한 선배들의 발자취를 쫓아가려 이것저것 도전하며 공부하였다. 이렇게 책을 쓰기로 한 것도 온라인 영향이 크긴 하다. 책을 쓰고 나의 영향력을 키우고 콘텐츠를 발전시켜 점점 무엇인가를 이룰 수 있을 것이라고 느끼기도 했다.

그러나 얼마 가지 않아서 그것은 나의 성격에 맞지 않는다는 것을 느꼈다. 절실함이 부족해서라고 할 수도 있지만 나의 성향이 사람들에게 강의하고 이끌어가는 것이 잘 맞지 않는다. 나는 혼자서 무언가를 하고 성취하는 것이 맞는다. 그래서 나는 온라인에서 사람들과 하는 일보다 내가 혼자 할 수 있는 일이 무엇인가 찾아보았다. 그것은 주식을 공부하고 투자하는 것이다.

내가 책을 쓰는 이유는 나를 위해서다. 다른 사람들에게 도움을 준다기보다 더 나은 삶을 살기 위해 고민하는 것이다. 언제나 가장 큰 화두인 '어떻게 살 것인가'를 위해서다. 다른 사람들도 내 책을 읽고 자신의 삶을 돌아본다면 더욱 좋겠지만 말이다.

내 나이가 60이지만 70까지는 경제활동을 할 수 있다. 어느 50대는 60이 넘어 무언가를 하려고 노력하는 모습을 보면 안쓰럽다고 말한다. 인생은 여러 모습이 펼쳐져 있다. 젊어서 성공한 사람도 있고 그렇지 못한 사람도 있다. 60이 되니 아직 늙지 않았다는 것을 알게 된다. 앞으로 10년을 더 일하여 보람도 느끼고 돈도 벌 것이다. 그리고 70 이후의 삶은 그때 가서 생각하면 되는 것이다. 기죽지 않고 일한다. 무슨 일이든 할 수 있는 것을 한다. 60은 아직 젊다.

비록 나의 성격에 잘 맞지 않았지만 온라인 세계에서 치열하게 노력하고 이루어내는 과정 속에서 많은 걸 배웠고, 내가 몰랐던 돈 버는 방법이 많다는 것을 알게 되었다. 온라인 강의, 전자책 쓰기, 온라인 비즈니스와 무인카페, 에어비앤비 등 여러 가지 방법이 있다.

앞으로 내가 또 어떻게 발전할지 기대된다. 가능성은 무궁하다.

제5장 진짜 행복한 인생 후반기

5-1. 단풍도 예쁘다

내가 미국에 살 때 버지니아주에 잠시 거주한 적이 있다. 우리집 앞마당에는 예쁜 나무가 있고, 사슴이 내려오기도 했다. 그해 가을에 앞마당의 나무에 붉은 빛으로 단풍이 들었다. 그 나무의 이름은 잘 모르겠는데 단풍 든 나무가 그렇게 아름다울 수 없었다. 많은 단풍들을 보았지만 그 나무처럼 강렬한 색을 띄는 단풍을 보지 못했다.

봄꽃도 좋지만 단풍도 그 못지않게 예쁠 수가 있구나. 청춘, 젊음이 아름답지만 나이 들어가 늙음에서도 또 다른 아름다움을 발견한다. 익어가는 길의 멋도 충분히 아름다울 수 있다.

젊어서는 열심히 일하는 것이 멋진 인생이고 나이가 들어서는 너무 욕심내지 않고 상황에 맞춰 조금 여유를 가지고 사는 것이 자연스럽지 않은가. 봄에는 꽃을 피우고 새싹이 나고 가을에는 단풍이 들며 낙엽이 되어 떨어지는 것이 자연의 이치처럼 우리 인생도 자연스럽게 살아가는 것이 좋다고 생각한다. 억지로 젊어 보이려 성형하는 것보다 주름이 있어도 자연스럽게 늙어가는 것이 순리에 맞다. 꽃은 꽃으로서의 아름다움이 있고 단풍은 단풍으로서의 아름다움이 있다.

단풍이 꽃을 흉내 내려 애쓰지 말고 내가 단풍이면 멋진 단풍이 되려 하는 것이다. "나는 나로 살기로 했다"라는 책 제목처럼 나는 나의 나이대로 사는 것이다. 큰 욕심이 아닌 작은 욕심을 내며 계획과 목표를 세워 나의 능력 안에서 노력하는 것이다. 억지 부리지 않는 것도 용기이다. 행복이 어디서 뚝 떨어지는 것이 아니라 내 안에 있다. 그것을 찾고 다듬고 가꾸는 것이다.

60이 되면 사람들의 마음을 더 잘 알게 된다. 아주 나쁜 사람이 아니라면 조금씩 이해해주며 그럴 수도 있다는 마음을 가지면 내 마음도 편하다. 나랑 잘 맞지 않는다고 생각하면 서로 합이 잘 안 맞는구나 하고 안 보면 된다.

단풍이 주는 여유를 누리며 단풍의 멋을 느끼며 살면 된다. 이왕이면 멋진 단풍이 되면 좋겠다는 바람으로 말이다. 나의 멋진 가을을 위하여 설레는 꿈을 꾸며 가을에 도전해보자. '나이가 들면 입은 닫고 지갑은 열라'는 말이 있다. 과한 욕심으로 추한 모습이 아닌 여유로운 마음으로 나누며 살아간다. 아직 이루고 싶은, 하고 싶은 나만의 꿈을 위해 새롭게 도전하고 조금씩 해보자. 가을에 품는 꿈을 위한 여정의 첫걸음이 멋지고 설레지 않은가?

5-2. 건강 관리에 힘쓰자

내가 가장 힘들어하는 것이 건강 관리다. 나는 운동을 좋아하지 않고 부지런하지도 않다. 누워 있는 것을 좋아하고 TV 보는 것도 좋아하는 정적인 스타일이다. 때로 쇼핑도 하고 친구를 만나 놀기도 하지만 기본적으로 움직이는 것을 좋아하지 않는다. 앉아서 책을 보거나 물끄러미 꽃이나 식물을 보는 것을 좋아한다. 운동이 몸에 좋다는 것을 알면서도 실행을 못 하고 있다. 폐가 좋지 않아서 등산처럼 격한 운동은 숨이 차서 더 잘 못한다. 요즘에는 발에 문제가 있어서 걷는 것도 많이 할 수 없다. 이러한 핑계거리가 있지만 운동을 해야 하는 것은 사실이다. 나이가 들수록 운동을 해서 몸의 건강을 유지해야 하기 때문이다.

내가 30년 전에 미국에 갔을 때 날씬한 사람이 잘 사는 사람이고 뚱뚱한 사람이 못 사는 사람인 경우가 많았다. 한국은 당시에 가난한 사람이 말랐고 부자가 통통했다. 이제는 한국도 미국처럼 부자가 날씬하고 가난한 사람이 뚱뚱한 것이 보통이다.

부자들은 건강에 좋은 음식을 먹고 덜 스트레스 받으며 운동도 자신에 맞게 받을 수 있기 때문이다. 돈을 벌어야 하고 일을 해야 하고 운동할 시간도 부족하고 스트레스를 받으면 먹는 것으로 푸는 경우가 많은 가난한 사람은 뚱뚱해지고 건강이 좋지 않은 경우가 많다.

나도 다시 운동과 식단 관리를 하며 건강을 챙겨야겠다.

첫째, 운동을 잠깐이라도 한다. 집에서 체조나 요가를 한다. 산책, 걷기를 한다.

둘째, 먹는 것을 주의한다. 과식하지 않는다. 특히 외식할 때 배부르면 음식을 남긴다. 밤 늦게 먹지 않는다.

셋째, 스트레스를 많이 받지 않도록 한다. 인생사 새옹지마이다. 너무 염려하지 말자.

너무 완벽하게 지키려 하지 말고 가볍게 살며 즐겁게 지내려 하자.

5-3. 너무 욕심 내지 말자

누구나 부자가 되고 싶어한다. 돈 뿐만 아니라 여러 방면에서 잘 되길 누구나 소원한다. 목표를 높게 세우고 그 목표를 달성하기를 바란다.

목표를 지나치게 높게 세우면 무리한 생각이 들고 목표를 이루지 못할까봐 마음이 초조해진다. 내가 마음의 여유가 없으니 가족이나 주위 사람들에게 여유롭게 대하지 못한다. 조그만 일에도 신경이 예민해지고 화를 내게 된다. 나이가 들어서 여유가 있어야 하는 데 욕심을 내며 일을 하면 때로는 비참해 보인다.

내가 목표를 세우고 노력하는 것은 좋다. 하지만 너무 무리하게 계획을 세우지 말고 여유롭게 세상을 보자. 적은 욕심, 그것이 필요 하다. 내 상황에서 긍정의 방향으로 나아가고 부자가 되는 방법을 모색한다.

목표에 쫓기는 삶이 아닌 나의 상황을 행복으로 이끄는 삶을 살자. 적게 먹고 적게 입고 적게 만나고 적게 돈을 쓰면서 또 다른 가치 있는 것을 찾아보는 것이다. 자연을 보고 독서하고 소소하게 친구 들을 만나며 즐거운 시간을 갖는 것이다. 다른 사람의 성공에 너무 신경 쓰지 말고, 그들이 잘 되어도 거리를 두고 바라보자. 그들은 그들의 인고가 있었을 것이라고 인정하자. 남의 일에 관심을 덜 가 지고 남의 잘못에도 덜 신경 쓰며 살자.

작은 것에서 행복을 찾는 기술을 터득하자. 그것은 일희일비하지 않는 마음의 여유로부터 온다. 내가 행복하고자 한다면 행복해진다.
자신을 믿는 마음이 나를 평화롭게 한다.

5-4. 매일 칭찬하자

젊어서는 나이가 들면 많은 것을 알게 되고 인격이 완성된다고 생각했다. 나이 들어보니 꼭 그렇지만은 않다는 것을 알게 되었다. 40에 불혹도 아니고 50에 지천명도 아니다. 60이 넘어 환갑이 되어도 어떻게 살아야 하는지 잘 모르겠다. 내가 누구인지, 나는 무엇을 해야 하는지, 어떻게 인생을 살아야 하는지 이러한 스스로의 질문에 답을 찾기 어렵다. 10대에도 20대에도 있던 철학적인 질문들은 아직도 해답을 찾기가 어렵다. 물론 세월이 흐르면서 사회를 알게 되고 사람과 인생을 조금씩 알게 되는 면도 있다.

나이가 들면서 변화하는 자신의 마음과 삶을 보는 생각이 조금씩 바뀌기도 한다. 10년마다 자신에 대한 글을 쓰는 것도 좋은 방법이라고 생각한다. 글을 쓰면 자신을 돌아보며 그때의 삶을 다시 어떻게 살아야 하는지 생각하게 되기 때문이다. 10년 후에 나의 삶을 들여다보며 다시 책을 쓰고 싶다.

매일을 어떻게 보낼 것인가. 그것이 내 삶의 가장 중요한 포인트이다. 어제도 아니고 내일도 아니고 오늘 하루하루를 잘 보내는 것이다. 삶의 희로애락을 그대로 수용하며 너무 억지로 이기려 하지 말고 주어지는 상황을 수용하며 어떻게 바라보느냐 하는 문제이다. 대세와 운명을 거스르려 하지 말고 편한 마음으로 내 삶에 오는 것을 막지 말고 살아간다. 기쁜 일이 많고 행복한 일이 많기를 바랄 것이다. 비바람 부는 날도 있을 것이다. 하지만 비바람 부는 일에 너무 연연하지 말자. 해가 뜨면 즐거워하고 비가 오면 비를 피하고 바람이 불면 바람을 조금 맞으며 피하면 된다. 나에게 주어진 운명 속에서 잘 사는 것이 가장 좋은 일이라고 생각한다.

매일 아침에 웃자.

매일 감사하자.

매일 칭찬하자. 나를, 그리고 남을.

지금도 이렇게 새벽에 일어나 글을 쓰는 것을 칭찬하자. 아주 작은 일에 칭찬하자.

감사하자. 내 가족과 주위 사람들의 작은 일에 감사하자.

매일 웃자.

내가 아주 멋진 사람이라고 믿자.

나를 먼저 가장 소중히 여겨야 다른 사람도 나를 소중히 여긴다. 식물을 소중히 대하듯이 내가 나를 그렇게 소중히 다루는 것이다.

변화가 눈에 잘 보이지 않지만 그 하루하루가 쌓여서 나중에 예쁜 식물로 크게 되듯이 나를 매일 소중히 가꾸는 것이다. 눈이 오든 비가 오든 그 하루를 잘 보내는 것, 그것이 나의 목표이다.